伊豆で宇宙の平和を願う

新井 俊夫
ARAI Toshio

文芸社

目次 『伊豆で宇宙の平和を願う』

序章

伊豆で宇宙の平和を願う　8
宇宙の果て　12
宇宙誕生のビッグバンが神の意志ならば……　14
宇宙は永遠の輪廻を繰り返している　15
始まりがあるものには終わりがある、
始まりが無いものには終わりが無い　17
宇宙が平和であること　19
古代文明の伝言　21
神の苦悩　23

第一章：世界の平和を願う

中高年の再就職の提案　28
核兵器によらない戦争抑止力の提案　30
選挙当選倍率の標準化の提案　32
選挙区代表訴訟の提案　34
総理大臣の任期の提案　36
靖国神社参拝について　38
大戦の特攻攻撃に思う　40
平和を達成するのは力ではなく、知恵である　42
心が動けば人は動く　43
貴方が懸命に探している正解は、
　貴方の横で寝そべって欠伸《あくび》をしている　45
優しさには限度がない　47
銃犯罪削減への提案　48
台湾の考察　51

拉致問題と私　54
世界に発信した誤った情報　56
朝鮮労働党総書記金正恩委員長への提言　57
国際的取引が可能な理由　59
平和を愛するロシアへの提言　61
更なる提言　63
日本の史跡等の紹介　65
地域紛争への提言　67
私見　69
難民への語学習得支援　71
伊豆活性化の提案　73

第二章：略歴紹介

新井姓の原点を尋ねて　76
進学と就職　78

就業　82
結婚　85
海外工事、退職そして別居　86
再就職活動　91
再就職先　95
伊豆へ転居　98
父の他界と再度の転居　101

終　章

そして今《いま》　106

後書「生きている不思議」　108

序章

伊豆で宇宙の平和を願う

西伊豆の岬の先に広がる駿河湾、そしてそれに続く太平洋を眺めていると、

「何を考えているの?」

と聞かれたので、日頃思い続けていたことを口にしました。

「世界の平和を願っています」と、伝えたのです。

その途端、「待ってました!」とばかりに自身の思いを話してくれました。

それは、「私も平和には関心があります。そこで地球を一つの国であると考えてみる」

と言うのです。

それは、

「その『地球という一つの国』が平和であるなら、日本という、地球という国の『一地方』も平和であると考えています」というものでした。

つまり地球全体が一つの国であると考えてみれば、「国」が平和であればその一部

である日本も平和である、という考え方です。更に日本という地球の「一地方」が平和であるなら、その一部分である東京や大阪も平和である、という考え方です。

私はそれまでそのように平和を考えたことがなかったので驚き、感心しました。丁度岬の先端にいたので、眼前の太平洋に繋がる駿河湾を一望しました。この大海原《おおうなばら》に囲まれた地域を一つの国と考える――まるでジョン・レノンの「イマジン」の世界がそこに広がっているかのように感じました。

すると、

「新井さん、貴方と初めて出会った時、何て頑固で話しにくい人だろうと思ったんだよ。それに……」と続けて、

「人を否定するような話し方だったんだよ。でも最近は随分と丸くなったよ」と言いました。

意外な言葉に、一瞬たじろぎました。私は学校では学業も体育も最低の成績で、人から否定されることはあっても人を否定するような話し方をした覚えがありませんでした。でも考えてみると、「自分は決して落ちこぼれじゃない」と、聞き手に思われるよう懸命に鎧兜《よろいかぶと》で身を包んだような話し方をしていたのではないか、と思いました。

鎧兜に身を包まずに自然体で人と接すれば良い、と考えがまとまりふり向くと、私

を見つめています。

「あれ？　もしかして全然時間がたっていない？」

私の中では、今の言葉に反応して考えを反復してある程度時間が経過していたのに、実際には言葉を発してから全然時間が経過していない、つまりは話し終わって私の反応を待っているのだと瞬時に理解しました。

私は、

「よく言ってくれました。有り難う」と応じました。

それに対し笑顔で応じてくれました。

その後、家に戻り「地球を一つの国と考える」という言葉を反芻し、そして調べてみました。すると米国の思想家で建築家でもあるリチャード・バックミンスター・フラーという方が戦争をなくし、地球環境を保護することを訴える例えとして、我々は「宇宙船地球号」に乗っているのだと提唱していたことが分かりました。私の思想は後述しますが、この思想に「生命の輪廻を継承する」という考え方が加わっています。

そして地球よりもより大きな存在である「宇宙」を一つの国であると考えてみました。そう考えると宇宙が平和であるならば、その一部である「地球」も平和になる、と思い付きました。そして世界の平和を願うという思いから、「宇宙の平和を願う」

という言葉にたどり着いたのです。「世界の平和を願う」という言葉はよく耳にします。しかし「宇宙の平和を願う」という言葉は初めて口にしました。それでも「宇宙の平和」が実現すれば、「地球の平和」も実現できることは間違いありません。そう気付くと心が広くなったように感じました。

今住んでいる伊豆からその思いをご紹介します。

宇宙の果て

子供の頃、輝く満天の星を眺め、

「宇宙の果てはどこにあるのだろう。そしてその果てがあるのであればその外側には何があるのだろう？」

と、答えのない問いを繰り返していました。それが気にならなくなったのは、40歳を過ぎてから思い付いた考えからです。

女性が化粧に使う三面鏡を思い浮かべて下さい。三面鏡の両脇の鏡を水平に向き合わせます。するとそれぞれの鏡の中に鏡が無限に投影されます。そして片方に投影される鏡が無限に大きく投影され、反対に映る鏡が無限に小さくなる、と考えてみます。仮定の話ですから実際にそうだということではありません。あくまでそう想像してみて下さい。

そして「無限の大きさがあるのであれば、無限の小ささも存在するのではないか」

という考え方にたどり着きました。つまり宇宙の無限の広大さに思いを馳せるのではなく、無限の小ささ、つまり我々が物質の最小単位と考える原子や陽子の中に無限の広大さを持つ宇宙がある、と考える存在がある、と仮定してみるのです。

それは一つの細胞の中にも無数の宇宙があり、果てがないと考える宇宙も、より大きな存在から見ると、「これ以上は分解できない」と思われている存在なのかもしれない。そう考えてみるのです。

すると、我々の身体の中にも無数の宇宙があるのかもしれない、しかしその一つ一つを意識することはない、そう考えるようになって、宇宙の大きさが気にならなくなったのです。

勿論それが事実かどうかは分かりませんし、証明することも不可能でしょう。ただ、宇宙の大きさが気にならなくなる考え方として思い付いたものです。

宇宙誕生のビッグバンが神の意志ならば……

20年勤務した建設会社の早期退職制度に応募して退職し、妻と離婚して再就職先を探していた頃、田中さんという方と知り合いました。私は田中さんの言葉で大きく変わりました。その言葉とは「私は新井さんに生まれ変わって欲しい……」です。

その時私は考えました。「本心は何なのだろう?」等です。そしてその言葉の意味を考え続けました。

そんな日々を過ごしていると突然、それまで抱いていた宇宙への思いと合体したある言葉を思い付きました。それは、

「宇宙の誕生と言われるビッグバンに人類の英知を超える存在―神―の意志が関わっているのであれば、人類を誕生させるために地球という星が創造された」

という言葉です。

これはその後宇宙を考える原点の言葉となりました。

宇宙は永遠の輪廻を繰り返している

妻と暮らした家を売却するため、中にあった家財道具等を処分しに行った帰り、田園都市線の梶が谷駅前のチャンポン麺店（現在は閉店）で食事を取りました。食事が提供されるまで、カウンターの上にあるおもちゃを見ていました。それは電池式で、円形の水槽の中を複数の魚が追いかけっこをするようにぐるぐる回転するものでした。

その店には家族で来たこともあるので、そのおもちゃがあることは知っていました。しかしこの時は何故か、永遠に回転を続けるかのような動きに目が離せなくなりました。そしてずっと見つめていると、宇宙への思いからある言葉が思い浮かびました。それは、

「宇宙は始まりも無く、終わりも無い永遠の輪廻を繰り返している。そのことを知ることが宇宙を知る扉を開くことになる」という言葉です。

急いで食事を終わらせ、思い付いた言葉を手帳に書き留めました。そしてこれらの

言葉がその後の宇宙観に繋がる言葉を思い付く原点となったのです。

宇宙は無限の自律の輪廻をするというサイクリック宇宙論（Cyclic universe theory）があります。

私の考えは、この自律の循環に神の意志が関わっているという考え方です。

始まりがあるものには終わりがある、始まりが無いものには終わりが無い

宇宙には始まりも終わりも無いのであれば、宇宙の誕生と言われるビッグバンは何なのだろうか？

再び迷路に入ってしまいました。人が誕生と共に背負う宿命、それは必ず終焉があるということです。

それは何に依らず、「始まりがあるものには終わりがある」と思うのです。ですから今の宇宙がビッグバンで始まっているのであれば、「今の」宇宙が終焉を迎えることは避けられないのだと思うのです。

しかし、「宇宙が永遠の輪廻を繰り返している」のであれば、「今の」宇宙が終焉を迎えた後、再び「次の」宇宙が誕生する、のだと考えるようになりました。

そう考えれば、「今の宇宙はいつの日か終焉を迎える、しかしその後再び新しい宇宙が誕生する。そしてそれを繰り返すことで『宇宙は永遠の輪廻』を保っている」

そう考えるようになりました。

そして、「宇宙が永遠の輪廻を繰り返して」おり、それが外部からのエネルギー供給を受けることなく行われているのであれば、それは「永久運動」と呼ばれるものだと思えるのです。

ビッグバンが宇宙以外のエネルギーによって発生したものでないならば、それは内在するエネルギーで発生したことになり、それが繰り返されるのであれば、その繰り返しは「永久運動」になる、という思考です。

いつの日か誰かが、そのことを科学的に証明して下さる日が来ることを願っています。

私が考える「今の前の宇宙」を仮に〈宇宙−1〉と表現します。そして今我々が生きる宇宙を〈宇宙0〉、そして次の宇宙を〈宇宙+1〉と表現してみます。

すると〈宇宙−1〉にも、〈宇宙0〉にも、〈宇宙+1〉にも、全て始まりと終わりがある、しかし「宇宙」は、始まりも終わりも無い永遠の輪廻を繰り返している、という考え方です。

宇宙が平和であること

宇宙が永遠の輪廻を繰り返すものであっても、生命がその宇宙の輪廻と共に永遠の輪廻を繰り返すものかを考えた時、それには条件があるのではないかと気付きました。つまり宇宙を人に例えるなら、人類も又、今の宇宙の終焉と共に終焉を迎えることは避けられないものだと考えます。しかし、再び宇宙が誕生した時、そこに生命が誕生する条件、それは今の宇宙が平和に終焉を迎えることで、次の宇宙でも生命が誕生するのではないかと考えるのです。

例えば人類が戦争や環境破壊で滅んでしまえば、次の宇宙で地球が誕生したとしても、そこには生命が宿ることがない、そう思うのです。

ですから世界平和が大事なのだと思います。将来科学が進歩して生命が誕生する条件が揃っているのに生命が存在しない天体が見つかったとすれば、その天体には過去に生命が存在していたかもしれない、しかしその生命が自然消滅ではなく、人為的要因で滅びてしまったため、その次の宇宙からは「永遠に生命の誕生しない星」になっているのかもしれないのです。

この考え方を証明する力は私にはありません。しかしこの考え方が正しいのであれば、地球という星は過去から現在まで、宇宙の輪廻と共に生命の輪廻を継承してきているのです。

今の地球に存在する私達がその輪廻を断ち切るのではなく、継承することが責務である、それが私の願う世界平和です。

〈宇宙0〉で平和が保たれるなら、〈宇宙+1〉でも生命が誕生する地球という星に継承される、そう考えています。

そこで、「人類の究極の目的」は、自身の繁栄や子孫の繁栄ではなく、平和と環境を守り、「次の宇宙でも生命が誕生する星を創造させること」だと考えています。

古代文明の伝言

中近東、アフリカ、欧州や南米にある古代文明は、星座や太陽等の天体との関わりを示す遺産が多く残されています。

そして不老不死を願って様々な儀式や祈りが捧げられたり、大きな墳墓が作られたことが知られています。

私達は彼らが願った「不老不死」から何を学ぶべきなのでしょう。勿論誕生によって生じる生命が、今生に永遠に存在することは不可能です。生前の彼らが不老不死を願い、死後我々に「生命の輪廻の継承」を願っているのではないだろうか、というのが私の考え方です。

飛躍があるかもしれませんが、戦争で犠牲になった方々が、生前何を思っていたかは千差万別だと思います。母の事、恋人の事、親兄弟や家族の事等だと思います。

しかし鬼籍に入った彼らは、敵味方の区別無く、一様に「戦争のない平和な世界」

を我々に願っているのだと考えています。

同様に不老不死を願って鬼籍に入った古代人は、「宇宙に生命の輪廻を絶やさないように」、との伝言を我々に伝えようとしている、そう考えています。

神の苦悩

「医者の不養生」という言葉があります。他人の健康に気を遣う医師が自分の健康には無頓着で注意を払わない、という意味と理解しています。

同じように、全知全能と思われる神も、人類から見れば全知全能と思われますが、彼ら自身は全知全能ではなく、苦悩に満ちた日々を過ごしているのではないか？

今の宇宙がビッグバンで誕生してから、既に150億年以上の歳月が経過していると言われています。その間、仮に私の主張が正しいとして、宇宙の誕生に神の意志が関わっていたのであれば、その間神は宇宙を見続けていたことになります。

するとどうでしょう。地球誕生から生命の誕生までは何億年という途方もない歳月がかかっています。その間生命が存在しない地球を見ている彼らは、何を思っているのでしょう。

「私達は失敗したのではないか、だからいつまで経っても生命が誕生しないのかもしれない」

という思いで日々を過ごしていたのではないでしょうか。

彼らは全知全能の存在ではなく、前の宇宙で生命を授かり、今の人類と同じように進化した存在だったのではないでしょうか。

我々はよく、「豊かな神の恵み」と、豊かな自然に感謝します。「豊かな自然の恵み」があるなら、「残念な自然の災害」もあって、バランスしていると考えています。

神が待ちくたびれて肩を落とした頃、ようやく生命が誕生します。生命の誕生に喜ぶ間もなく、生命は争いを始めてしまいます。生命の誕生を喜んだ神は、せっかく誕生した生命同士が争うことに目を背けているでしょう。そこに氷河、火山の噴火、地震、台風等の、彼らが残した「残念な自然の災害」が襲い掛かるのです。

私は所謂《いわゆる》「神」と認識される存在は、争いの絶えない現世に絶望する苦悩の世界を見ているのではないかと考えています。現世の私達は、既に多くの争いや自然破壊を引き起こしています。それらが〈宇宙+1〉として次の宇宙が誕生した時に、そこに誕生する生命に負の遺産として襲い掛かるのだと思います。私が考える神は全知全能であるとは思いません。

彼らが犯した罪は地政学に取り込まれ、いつ、どこで災害が発生するかは、神にも分からないと考えています。ただ神は、それらが自分達が犯した罪によって発生していることが理解できるだけだと思います。ですから彼らは、〈宇宙0〉の誕生から終焉まで、有限でありながら永遠と感じるほどの長きに亘って苦悩している、と考えているのです。

つまり次の宇宙（宇宙+1）に誕生する地球に生命が誕生すれば、それは今の我々が残す「豊かな自然の恵み」となり、争いや破壊が「残念な自然の災害」として次の地球に誕生する生命に襲い掛かるのだろうと考えているのです。

ですから、今天上にいる神々は地球を支配している、のではなく、我々人類に生命の継承の祈りを捧げていると思うのです。くり返しますが我々が神に祈りを捧げるのではなく、神が人類に「生命継承」の祈りを捧げていると思います。

我々は彼らに「豊かな自然の恵みを残して頂き、有り難うございました。我々もこの生命を絶やすことなく次の宇宙に継承しますので、どうかご安心下さい」との決意を伝えることが神との対話で重要ではないか、そう考えています。

民族、言葉の違いがあっても、地球上の多くの地域で崇高な存在を神と感じるのは、前の宇宙〈宇宙-1〉で現在の我々と同様に知性を持った存在が宇宙の摂理に気付き、今の宇宙〈宇宙0〉の私達に生命が誕生する星、地球を残してくれた証拠ではないかと考えています。

　つまり今の前の宇宙〈宇宙−1〉で知性を持った存在が、今の宇宙〈宇宙0〉に生命が誕生する星を継承することに成功し、そのことに我々〈宇宙0〉は神を実感する。同様に今の我々〈宇宙0〉が次の宇宙〈宇宙+1〉に生命が誕生する星を継承することができれば、彼ら〈宇宙+1〉が我々〈宇宙0〉に対し神を実感して崇めるのだろうという考え方です。

　そして我々にできることは、次の宇宙に生命が誕生する星を継承することまでで、次の宇宙を支配することはできないと考えています。次の宇宙で次の人類が、生命が誕生する星の輪廻を継承できるかどうかは、我々が彼らに遺す遺産から、自身がその摂理に気付いてそれを実行することだと考えています。

　翻って今の我々も人任せではなく、次の宇宙に生命が誕生する星を継承する努力を自分達で行わなければならないと考えています。

第一章：世界の平和を願う

中高年の再就職の提案

さて、「世界の平和を願う」ですが、その前に先ず先立つもの、つまり定収があり、生活が安定していることが重要です。今、私は伊豆で暮らしています。職探しで、偶然英語力を必要とする求人を見つけ応募してみました。それはホテルのフロント係で、口頭での接客だけでなく、お客様の荷物も運ぶため、荷物を持って階段を上り下りする体力も必要と断られてしまいました。

町営の温泉会館での仕事が見つかりましたが、体力が持たず1カ月で辞めました。県知事選挙の立会人の仕事もありました。これは1日座って、来場者の人数を記録するだけでした。拘束時間が長いですが、その分昼休みに食事が無償で提供されました。期日も選挙当日だけでなく、期日前投票も対象なので、実入りは良かったです。ただ人気の職なので倍率が高く、その後の町議会選挙や国政選挙では、抽選で選ばれませんでした。

他にネット、ハローワークは勿論、シルバー人材センターにも得意な英語力を活用できる求人は皆無です。

そこで提案です。例えば60歳であっても健康診断で40代の若さと診断されたら、その年代の求人に応募できるようにしてはどうでしょう。履歴書と共に診断書を提出し、年齢ではなく、健康状態、過去の実績、本人のやる気で評価をしてもらうのです。そうすれば我々中高年にも正社員でなくても就業の可能性が高くなるのではないかと期待しています。

勿論実際の年齢での応募も可能として、応募者がそのどちらかを選択できるようにするのです。

核兵器によらない戦争抑止力の提案

日本は２０２２年７月現在、世界で唯一の被曝国です。

戦後生まれの知人の中にも、親や周囲に被曝した方がおります。唯一の被曝国として、核廃絶を訴える方も多くおられます。そこで私なりに、核兵器を使わない戦争抑止力を提案させて頂きます。

それは、今世界的に普及しているコンピューターを利用します。インターネットに接続したコンピューターの一部でも機能しなくなれば、戦争どころか日常生活にも支障をきたすほどコンピューターは生活の必需品になっています。そこでその部品に使用されている機能の一部、例えば記憶装置をブラックボックス化して、輸出する国毎に仕様を変化させておくのです。

そして例えば、ＡとＢが争う事態になったら、衛星回線を使って、ＡとＢに輸出したコンピューター回線の機能を停止させる信号を送るのです。これが実現できれば、核兵器を用いなくても戦争の抑止力になると思うのですが如何でしょうか。

これを聞いた田中さんは叫びました。

「新井さん、貴方のその発想は法学部の文系のものではないわ。貴方のその発想は理系よ」

私が疑問に思うこと、それは被曝国として核禁止条約を批准しないことです。与党が批准しないならこれを争点として選挙を戦う野党はないのでしょうか。

「他の政策は今の与党の政策を踏襲します。しかし我が党が政権を取ったら条約を批准します」

これは私の戯言《たわごと》でしょうか。

選挙当選倍率の標準化の提案

私は国政を担う人材が、都道府県議会議員よりも狭い、しかも自分が選ばれることを希望する選挙区から立候補できることに疑問を感じています。

国政ですから、北海道の選挙区選出の議員でも九州や沖縄の国政に関与するし、反対に山陰選出の議員でも、東北の国政に関与すると考えています。

この件について格差倍率の合憲・違憲を争う裁判が行われ、裁判所により様々な判断が示されています。

そこでこの制度をその都度修正するのではなく、コンピューターを利用して、どこの選挙区から立候補してもどこで投票されるかを標準化して、当選倍率が裁判所の想定内に収まるようランダムに自動的に選ぶこととしてはどうでしょう。

例えば北海道で立候補しても、山口県の選挙区で選ばれるとか、沖縄で立候補しても、青森県の選挙区で選ばれるよう、人為の介入の余地をなくしてコンピューターが想定倍率内になるよう立候補者の被選挙地を確定させる、という方法の提案です。

人為的操作を排除するので、立候補者が最も希望する選挙区で偶然投票されることがあるかもしれませんが、それは排除しなくても良いと思います。大事なことは当選倍率の標準化です。

国政選挙に立候補する方は、どこで立候補しても国政に関わる仕事をするので、どこで選ばれても良いと判断される仕事をするべきだろうと考えています。立候補手続きも集約して簡素化できます。

浮いた経費で、選挙毎に一番当選倍率の差が低いプログラムを提供した会社の方式で、立候補者と選挙区を割り振ってはどうでしょう。

選挙区代表訴訟の提案

基地移転に際して「最低でも県外」と主張された方がおりましたが、その主張は実現されませんでした。しかしその方は、その後も折に触れ政治的発言をされています。

戦前の総理大臣には「戦争反対」の主張を曲げず、軍部と対立し暗殺されてしまった方がおられます。

言論を武力で封じるのは昔も今も許されることではありません。

又別の例では、北方領土の島の名の漢字を読めない方が担当相に任命されたこともあります。このような事が許されて良いのでしょうか。

そこで提案です。

会社の株主が会社の経営に不審を持った場合、「株主代表訴訟」を提起することが認められています。同じようにある選挙区で選出された議員がその任に相応しい職務を果たしていないのではないかとの疑念を持たれた時に訴訟を起こせるようにしてはどうか、という提案です。

訴訟提起の条件は選挙期間中に当該選挙区での選挙権を有し、納税証明を取得できること、としては如何でしょう。

国民の生命を犠牲にして自身の権益を守ろうとしているのではないかとの嫌疑をかけられた元総理大臣がおります。残念ながら彼は選挙の応援演説中に銃撃され、命を落としてしまわれました。彼の口から説明を聞くことはできなくなってしまいました。彼の主張「自分は指示していない」が正しかったとして、そこに何も問題はないのでしょうか。

彼の政権は8年を超える長期政権でした。体調不良で任期途中で総理大臣を辞任しましたが、もし体調の問題がなければ9年、或いは10年以上政権を担当していた可能性があります。そうなると周囲は「来年も総理大臣の可能性がある」と判断して「指示」がなくても「忖度」してしまう可能性があったのではないかと考えます。例えば米国であれば、2期8年を超えて大統領に留まることはできません。

一方日本では、総理大臣の任期の定めがありません。権力の座に任期が無いのは、問題ではないでしょうか。他国の例を参考に、日本でも総理大臣の任期に法的制限を設けてはどうでしょうか。

靖国神社参拝について

所用で靖国会館の催事に参加しました。そして、周辺諸国や地域で靖国神社への政府関係者の参拝に異議を唱えることがあることを考えてみました。

それは8月15日という終戦（日本の敗戦）の日に参拝するからだと思う。そうではなくて靖国参拝に反対する国や地域の人が最も悲しいと思う出来事、例えば米国であれば真珠湾攻撃の12月8日（日本時間）に参拝し、それによって犠牲になった方々の霊に敵味方関係なく安寧を願う。それをそれぞれの国や地域の方が最も心を痛めている出来事があった日に合わせて行うべきではないか、というのが私の結論です。

群馬県太田市に、戦争の犠牲者を敵味方なく慰霊する慰霊碑があります。

戦闘機を製造していた工場を爆撃するために飛来した米軍の爆撃機が墜落し、ある日本人がその遺族を探し、更に地元のお寺のご住職が私費で搭乗員の慰霊碑を建立しています。

米軍はこの話を聞いて、除幕式に横田基地から軍楽隊を派遣して、共に除幕式を祝って下さったそうです。

大戦の特攻攻撃に思う

妻とは離婚しましたが、子供がいます。

次女が鹿児島出身の方と結婚しました。

その披露宴の席で新郎の母が、

「母（新郎の祖母）が戦争中に知覧《ちらん》の特攻基地の気象台に勤務していました。そして兵隊さんが明日の天気を聞きに来て、『明日は雨ですよ』と伝えると、兵隊さんが嬉しそうに宿舎に帰った姿が忘れられない、と子供の頃よく聞かされた」とおっしゃいました。

そしてその方が今も健在で、後日鹿児島で開催される食事会にも出席を予定されている、と言うのです。

私は特攻について改めて調べました。そしてある質問を思い付きました。それは、「明日は雲一つない晴天の予報の時、兵隊さんが明日の天気を聞きに来たら、何と答えていたのですか？」

というものです。

ある寺の本堂で世話役をしていた女性と、このエピソードをお話しする機会がありました。その方は私の話を聞き終わると、

「考えただけで胸が張り裂ける思いがします」

とおっしゃいました。私は話を続けました。

「この時日本は、組織の命令で自らの生命を賭して他人を殺傷する、という誤った情報を世界に発信してしまった。従ってこれを正す情報を発信しなければ、日本の戦後は終わらない。そう考えています」とお伝えしました。

つまり、他人の命令や依頼ではなく、自らの意志で決断し、人を殺傷するのではなく、人を救うために命を懸ける、日本はそれを世界に発信する必要がある、と伝えました。

世話役の女性は無言で頷かれました。新郎の母上も私の考えに賛同して下さったので、鹿児島での食事会ではご本人にこの話をするのは控えました。

平和を達成するのは力ではなく、知恵である

こちらについては、思い付いた言葉を英語でご紹介します。

Peace can be achieved not by Power but by Politics, that is, not by Weapon but by Wisdom.

試訳します。

「平和は力ではなく政治力で、即ち武器ではなく知恵によって達成することができる」

英語ではPowerとPolitics, WeaponとWisdomの語頭が韻を踏んでいます。しかしそれを日本語で表現する方法を思い付きませんでした。

そこで「平和は力ではなく、知恵で達成することができる」を和訳としてはどうかと考えています。

心が動けば人は動く

この言葉は私のオリジナルです。ただ出典があります。それは、「ペンは剣よりも強し！」です。そして「ペンよりも強いものは何だろう」と考えてたどり着いたのが、「人の心」でした。

つまり「何よりも強い人の心が動かされれば、人はそれに従って行動する」という意味になります。

シンガポールに出張した時、休日にセントーサ島に行き、歴史博物館を訪ねました。戦争中の日本軍の活動の展示があり、胸が痛みました。出口に歴史が書かれた年表があり、戦後再び植民地化を図り英国が進出しようとしたが、「一度自由の身」を体験していた私達はそれに耐えられないと反抗して独立した、といった趣旨の書き込みがありました。

「一度自由の身」を実現したのは旧日本軍です。館内の展示では旧日本軍に批判的と感じましたが、出口の掲示に書かれたこの言葉に心を動かされました。

貴方が懸命に探している正解は、貴方の横で寝そべって欠伸《あくび》をしている

この言葉を思い付くきっかけは田中さんです。

私は短い言葉で表現できる自分の世界観、宇宙観をどのように本にして出版し、広く世間に訴えたら良いのかわからず悩んでいました。そのことを相談すると「それなら新井さんは、日本語だけでなく英語もできるのだから、外国語でも表現すれば良いと思う」と提案してくれたのです。

言われてみれば私は英語で仕事をしてきました。又何度も出張したインドネシア語も片言が出来ます。更に中国語も勉強していました。それなのに「自分の思いを複数の言語で表現する」ことは思い付きませんでした。

日本語だけでは本にする分量に足りないが、複数の言語で構成して本にすれば良いと気づいたのです。自分が片言ですが4カ国語に親しんでいたのに、田中さんに出会うまで自分の思いを複数の言語で表現することを思い付きませんでした。そして思い

付いたのがタイトルの言葉です。

優しさには限度がない

人はどんなに進化しても、１００ｍを５秒で駆け抜けることはできないでしょう。しかし１００ｍを５分、５時間、或いは５日かけて駆け抜けることは可能です。或いは1年でも10年でも可能です。

同様に、１ｔの重さのものを持ち上げることもできません。そして人に対する厳しさは、生命を奪う以上の事はできません。それに対し、「遅いこと、弱いこと、優しいこと」には限度がありません。そこで、

「速さ、強さ、厳しさには限度がある。しかし遅さ、弱さ、優しさには限度がない」という言葉を思い付きました。それを端的に表現したのが表題の言葉です。

私の説明を聞いた田中さんは、

I absolutely agree with you.（全く同感です）

と英語で応じてくれました。

銃犯罪削減への提案

私は大学卒業時に、１カ月の自由旅行企画に参加して、初めての海外旅行でアメリカに行きました。

その説明会の会場で、「警官に職務質問されたらパスポートを出そうとポケットに手を入れてはだめだ」と教えられました。ポケットに手を入れる行為は、そこに忍ばせた銃を出そうとしていると誤解され、攻撃されてしまうかもしれない、というのです。

言われてみれば、誰もが銃を持てる社会では、日本では考えられない事態があると怖くなりました。

その経験を踏まえ、以下提案をご紹介します。

人間社会の生活には、動物の生態が役に立つことが多くあります。例えば動物には毒針や毒液等、一般には存在しない武器で武装しているものがいます。それらは蛇、蜂、蜘蛛、サソリ等の小動物であることが多い。それを表題の件に置き換えて考えると、人間社会では一般に男性の方が女性よりも体力がある。しかし銃犯罪の多くは男性によるものです。

そこで提案です。

銃器所持は軍や警察などの公職を除き、精神疾患のない成人女性に限定してはどうかと提案したい。そして女性には銃器所有の権利だけではなく、銃器取り扱いを義務化することを提案したい。

人間が小動物の毒を恐れるのは、それを持っているだけではなく、実際に使用されるからです。ただ銃を所持しているだけでその使い方に習熟していないと分かってしまえば、所持している意味がありません。そこで小型の銃や殺傷力の低い銃弾等を開発し、躊躇なく発砲できるようにする。それらの扱いを義務化して、学校や職場で訓練をする。それにより銃器の販売を劇的に減少させることなく、犯罪を減らせるのではないかと思います。

体力的に優位な男性が銃器で武装することを動物に例えれば、虎やライオンが相手を一撃で倒せる毒針を持つようなものです。公職者でも私用での銃器所持は禁止し、職務を辞任したら直ちに銃器を返却すべきと考えています。私なりの英語文案をご紹介します。

Guns not for Brutus, Popeye, but for Olive.

アメリカの漫画、ホウレンソウで筋力モリモリになるポパイに例えて、「銃器は、ブルータスでもポパイでもなく、オリーブのために」です。

実はこの提案は、田中さんにも伝えていました。

私の話を聞き終ると間髪を容れず、

「新井さん変わってるね」と言いました。

驚いて膝から崩れそうになった私はかろうじて、

「何で?」と聞きました。すると、

「日本人は誰と話しても、皆同じ事しか言わない。でも貴方は違う。はっきりと自分の意見を言う。日本じゃなくてアメリカで生まれていれば良かったのにね」と応じました。私は今度こそ膝から崩れ落ちました。

台湾の考察

鄭《てい》　成功《せいこう》をご存知でしょうか。父は福建省の出身で、母は長崎平戸の出身の日本人です。彼は１６６２年に、当時オランダが占領していた台湾からオランダ軍を一掃します。日本が日露戦争で初めてアジアで欧州に勝利したと教えられますが、鄭　成功はそれより２００年も前に、欧州をアジアから排斥しているのです。

更に近松門左衛門が、人形浄瑠璃「国姓爺《こくせいや》合戦《かっせん》」で彼の生涯を紹介しています。

又台湾に出張し、中正紀念堂を訪問した時に、蒋介石《しょうかいせき》総統が戦後の日本の分割統治に反対したため、日本は分割統治されることがなかった、との記述を目にしました。実際がどうであったのかは不明です。しかし教科書は、史実を伝えるものであるべきと考えています。

ここで私の提案を紹介させて頂きます。

それは中国とお付き合いする時に避けて通れない問題の一つである「一つの中国」

の問題です。

それは中国と台湾が、日米安保条約にならって安保条約を締結する。中国は台湾に基地を持たずに、外国から台湾を守る。これに対し台湾は毎年一定の金額、例えばＧＤＰの定率を中国に支払う。そして中国は台湾の独立を認める、という提案です。台湾は独立を確保し、中国は条約が締結されている間、毎年定率の金銭を受領する、という提案になります。

ここで中国と台湾にゆかりの史跡をご紹介します。

初めに、中国の国歌「義勇軍行進曲」を作曲したニエアル（聶耳《じょうじ》）が１９３５年７月、湘南の海で逝去したことを悼み、地元の有志が建立した石碑があります。

次に箱根にある曹洞宗の寺院、箱根観音福寿院は、媽祖《まそ》観音を祀っており、李登輝《りとうき》元総統の扁額が飾られています。中国と台湾の平安が実現できるならば、世界の平和に多大な貢献になると考えています。

余談になりますが、私が勤務していた建設会社では、台湾と中国で建設工事を行っていました。

台湾では、台北の松山空港の直下に道路トンネルを作るものでした。空港の営業を維持しながらのため、ＥＳＡ（エッサ）工法という特殊な工法を用いての作業でした。

難工事の激務がたたり、日本側の所長だった機械技術者は、一時帰国から台湾に戻った台北の空港で倒れて、不帰の客となられました。しかしその努力は報われて、無災害で工事を完成させ、台北市から表彰されました。

中国では上海の新旧市街の間の運河下を通る道路トンネル掘削工事に、技術指導を提供しました。この工事もトンネルの「被《かぶ》り」（トンネルの頂部から川底までの距離）が浅い難しい工事でした。

拉致問題と私

ある時、拉致被害者の一人のご両親が東京都品川区立大井第一小学校で講演されたと知り、仰天しました。拉致被害者の女性が、大井第一小学校に通われていたというのです。私は同校の卒業生です。

私が仰天した理由は、それだけではありません。当時外務省のアジア・大洋州局長として拉致問題交渉の任を負い、後に事務次官に就任された方が、中学・高校の同級生だったのです。

彼は国立大学に進学し、私は2年浪人して私大に進学しました。いわばエリートと落ちこぼれです。しかし、帰国子女として中途入学した彼に、下駄箱の場所、弁当を持参しなかった時の昼食の頼み方等のオリエンテーリング役を買ってでたのが私でした。私は学業も体育も校内最低で、話し相手もなく、友達もいなかったので、一足遅れて入学した彼の校内の先導役を担ったのです。そんな縁もあり、彼から同じ高校に通うお兄さんを紹介されたことがありました。

こうして、拉致被害者とそれを救済する任に当たる方のいずれにも縁があったことを知り驚いたのです。

更に次章で紹介しますが、私の「新井」という姓は、１３００年前に朝鮮半島から渡来した「朴《パク》」姓に由来しています。これで実行した国とも縁があることが分かりました。被害者、救済者、実行者、そのいずれにも縁のある私がこの問題解決に何か役に立てないだろうか、と考えていました。

私は朝鮮半島ご出身の方が出版された本で、感動した作品があります。それは陳《チン》昌鉉《ショウゲン》さんの『海峡を渡るバイオリン』です。世界的に高名なバイオリン製作者である陳昌鉉氏の半生を辿った自伝です。

世界に発信した誤った情報

私は、拉致問題解決への提言を考え続けました。

そしてこの章で紹介した「大戦の特攻攻撃に思う」で、日本は「組織の命令で自らの生命を賭して他人を殺傷する」という情報を世界に発信し、これは誤った情報であり、それを正さなければ日本の戦後は終わらないと考えています、と紹介しました。

それは「組織ではなく、個人の決断で人を救うために自らの命を懸ける」というものです。そしてこの拉致問題解決の糸口として、そのことを提案することを思い付きました。

朝鮮労働党総書記金正恩委員長への提言

政府の代表でも企業の役員でもない、一私人の私ですが、拉致問題解決のため、提言させて頂きます。

それは、「日本だけでなく、世界のあらゆる国から拉致した人物全てを生存者として解放すること」です。期限は本書初版第一刷発行日から1年とします。そして拉致被害者のいる国が、正式に被害者全員が解放されたと確認されたならば、私は単身で北朝鮮に出国します。私が本気であることは、私が先の大戦で日本が世界に発信した誤った情報を正すことで日本の戦後を終わらせたいとの主張からも、ご理解頂けるものと信じております。

繰り返します。

本書初版第一刷発行日から1年以内に全ての国の拉致被害者が帰国し、全員が生存者として帰国したことを当該政府が公式に認めたならば、私は単身で北朝鮮に渡航します。

　改めて申し上げます。

「組織の命令で、自らの生命を賭して他人を殺傷することがあってはならない」と信じています。そのような行為をしても、その人が天国に行くとか、聖人になるなどありえません。それは一時的に、恐怖を与えることはできるでしょう。しかし、問題解決には何の役にも立たないと断言します。

　私は自らの決断で、人を救済するために自らの生命を懸ける提案をします。人を武力で屈服させることはできない、と信じています。人を動かすのは、その人の心を動かすことだと信じています。

国際的取引が可能な理由

表題の件、皆様はどう思われますか。

例えば言葉、英語、が世界的に普及していることを挙げる方もおられるでしょう。又英語が通じない国同士でも、通訳を介して言葉が通じ合うことを挙げる方もおられるかもしれません。

私が挙げるのは、「数字」です。これは言葉が通じない国同士でも「０１２３４５６７８９」は、ほぼ全世界で通用するのではないかと思います。例えば技術者は、その数字の書かれた図面の単位が何であるか、つまり長さなのか重さなのかという単位が分かれば、それが何を設計しようとしているか理解できるのです。

経営者は、金額が一目で分かります。

この数字は「アラビア数字」と呼ばれ、アラビア人が世界に広めたと言われています。ローマ数字で計算していた古代ローマでは、計算は複雑で、貴族階級に限定されていたそうですが、アラビア数字を知り、その計算の簡便さに驚愕したと伝えられています。

国によって数字の表記が異なっていたら、今のような国際的取引が可能だったか疑問です。と言うか、アラビア数字が導入されると、各地でそれが直ぐに広まっていったものと思われます。アラビア数字を世界に広めたアラブの人々に、尊敬の念を覚えます。

平和を愛するロシアへの提言

私は建設会社退職後、複数の会社に勤務しました。そしてサラリーマンとしての最後を、派遣社員としてプラント建設会社に2回勤務しました。

初めはロシアのサハリンのLNGプロジェクトでの本社支援部門で、2回目はこの会社が中東に持つ現地法人2社に対する本社での支援の仕事でした。

ここで一つ提言があります。アラブ諸国の多くと対立するイスラエルについての提案です。

日本の北には、ロシア領のサハリンがあります。

突拍子もない提案であることは承知しています。

平和を愛するロシアの人々に耳を傾けて頂く、或いはそれを元に新しい解決の提案を頂ければ幸いです。

このロシア領サハリンを、イスラエルに売却することを検討頂けないかという提言です。その場合、売買費用はイスラエル周辺諸国が負担する、という提言です。更にその売却対象に、日本が領有権を主張する北方4島を含めるという提案です。

この提言を受け入れて頂き、ロシアでの協議が進展したら、ロシアの提案で日米首脳が加わり、安保条約の改定交渉を行います。その内容は、「日本国内からの全ての米軍基地の撤退」です。両国が撤退に合意し、国内で改定された条約発効の手続きが完了したことを確認したら、イスラエルは日本が領有権を主張する4島の領有権を日本に無償で譲渡する、というものです。

そして日米は、人や資機材の内外への移動に必要な航空機や船舶等の移動手段を、無償でロシアとイスラエルに提供する、という提言です。

更なる提言

世界には、武器の売買を商売にされる方がおられると承知しています。そういった方への提言になります。

例えば砲弾に爆薬ではなく、液体窒素を封印するなどして、毎年多くの森林が消失する山火事の消火に貢献することができないだろうか、という提言です。

トルクメニスタンに、長年燃え続ける「地獄の門」と呼ばれる場所があります。同国と交渉し、火災を鎮火したら、権益を得ることを条件に、様々な消化方法をここで検証し、山林火災にも応用できる技術を私の提案も含め実施して頂き、新たな消火機器が開発されたなら、それを世界に売買することで、新たな商売を起こすことを検討して頂きたい、という提言になります。

消火作業に際しては、防護服を着用願います。

2022年1月、トルクメニスタンの大統領が「地獄の門」の消火を指示したと報道されていました。本書出版時に既に鎮火していましたら、他の提案を考えてみます。

日本の史跡等の紹介

台風によりロシアのアリューシャン列島に船が漂着し、現地の方の支援を得て、犬ぞりでシベリアを横断し、当時のエカテリーナ二世に拝謁して、帰国の許可を得た江戸時代の船頭、大黒屋《だいこくや》光《こう》太夫《だゆう》の記念館が三重県鈴鹿市にあります。

岐阜県加茂郡八百津町には、第二次世界大戦中、外務省の指示に反して独断で日本経由のビザをリトアニアで発給し、多くのユダヤ人を救ったと言われる杉原《すぎはら》千畝《ちうね》記念館があります。

福岡県福岡市には、中東のアフガニスタンで用水路建設に生涯を捧げた医師、故中《なか》村哲《むらてつ》氏の活動を支援したペシャワール会があります。

最後に、この提言を思い付いた経緯についてご説明させて頂きます。

私は20年勤務した建設会社を、早期退職制度に応募して退職しました。その後複数の会社に転職することになりますが、最初の転職先が英国の再就職支援会社の日本支社でした。そこで私は、それまで土日もなく現場で励んだ建設業界の仲間の再就職を支援できると嬉しくて舞い上がってしまい、社内の人との約束も上の空で、再就職先の開拓に精を出しました。そこで約束の場所や時間も守れず、せっかく入社した会社でしたが、3カ月の試用期間満了で退職となってしまいました。

この時、せっかく英国の会社に入社したのだから、何か英国の役に立てることがないかと調べました。するとパレスチナの問題が、戦争中に英国が双方（イスラエルとパレスチナ）に国の建設を認めるような立場を取ったことも争いの一因になっていると知り、何とかそれを解決できないかと考えて、今回の提案を思い付いた次第です。

地域紛争への提言

学生時代に岩手や青森等、東北地方に旅行に出かけたことがあります。青森では、丁度開催中だったねぶた祭に参加しました。大きな山車《だし》が進み、それに合わせ跳人《はねと》という踊り手が乱舞する勇壮な祭りです。

これを見た時、「これは男女の出会いにもなっているな」と感じました。青森は北の国です。日々懸命に農作業や漁業で生計を支えています。年1回の無礼講で羽目を外して、溜ったストレスを発散し、祭りが終わると又日々の厳しい作業に戻る、そう感じたのです。

見渡してみると、長野の御柱祭《おんばしらさい》、坂を下る丸太に乗り転落して怪我人が出ることもあります。又、大阪のだんじり祭、博多のどんたく等、これらは「祭り」と名が付くものの、一歩間違えば人の生死を左右するものです。

世界に目を向けて見ると、熟したトマトを投げ合う祭り、牛に追いかけられる祭り、肉体美を強調する衣装で女性が踊る祭り、何が面白いのか花火を打ち上げたり、坂を下る速さをチーズと競う競走等、壮大なスケールの祭りが多くあります。これらは一種のカタルシスとして、日頃のストレスを発散させていると思います。

一方世界には、民族、宗教、資源等を巡り争いの絶えない地域があります。それらの地域でこれらのような祭りを参考に、年に1度か2度、敵味方交えて何かに熱狂する催しをしてはどうか、との提案です。

その日ばかりは、怪我人が出てもお咎めなし。そして祭りが終わったら、何事もなかったかのように日常生活に戻る。古代のオリンピックも、同じような趣旨だったのではないかと考えています。世界記録を争うような競技会ではなく、綱引きや駆けっこといった単純な種目に熱狂し、日頃のストレスを発散する。

事態の根本的解決ではないことは承知していますが、対立する敵味方が、非日常を共存するため、年に数回共に何かに熱狂する。それは別に高尚な理論に基づいたものではなく、周囲からはむしろ、「何てアホな」と思われるようなことで良いのです。そしてそれ以外の日々は、争うことなく日々を過ごす。古代から伝わる祭りや運動競技は、その知恵を教えてくれていると感じています。実際に何をするかは、その地域の特性を考慮し、当事者が知恵を絞ることを願います。

私見

過去、政治に関わった科学者や文学者が、一時重用されても後に排斥される例を見知っています。私の提言は政治によってのみ実現可能であることは承知の上で、敢えて政治とは距離を置くこととしたいと思います。

特に不用意な発言や行動で誤解を与えてしまい、せっかくの提言が実現しなくなることを恐れます。

そこで本書で発信した提言について、具体的進展があるまでは公の場での発言や行動は控えます。

合わせて宗教についても触れておきます。

私は特定の宗教を信奉することもなく、又自身で新たな宗教を立ち上げる気もありません。実家は浄土真宗本願寺派です。私は次男なので、そこに墓はありません。

幼稚園はプロテスタント教会が運営していました。七五三の祝いは近所の神社でした。２年浪人して合格した大学はカトリックです。仕事で一番多く訪問したのは、イスラム教で世界最大の人口のインドネシアでした。恐らく多くの日本人同様に神道と仏教が混在しています。

今は健康のため、毎朝近くの神社に参拝しています。

難民への語学習得支援

最近は以前に比して、日本に来る難民の数が増えています。そこで語学習得が大きな壁になっていると聞きます。「どうやって日本語を覚えてもらうか」ではなく、「どうやって日本語を好きになってもらうか」との観点から、例えばかつて各国で人気になった「おしん」「鉄腕アトム」「一休さん」や最近世界で人気の日本のアニメ等を、「語学講座」ではなく、「ドラマやアニメとして日本語で再放送」する、というのは如何でしょうか。

中学・高校で英語も最低の成績だった私が、大学卒業後英語で仕事をすることになった理由は、大学浪人中に通った英会話学校でした。そこでは熱心に指導する先生や女性との交流もあり、授業に参加することが楽しかったのです。そこで教科書を暗記するほど読み込み、授業の予習復習を繰り返しました。

進学した大学は、国際色のある学校として知られています。私学では珍しい外国語学部があります。ここでスペイン人の先生に、それまで知らなかった日本の歴史を日本語で教えて頂いたのも新鮮な驚きでした。

又会社に入社後、社員の英語力を向上させたいとの要請を受け、英語を習った大学の先生に依頼して神学部に通うタスマニア島出身のオーストラリア人を紹介してもらい、社内で英会話教室を開いたこともありました。

伊豆活性化の提案

最後に地元伊豆の活性化への提案です。あまり知られていませんが、伊豆には江戸時代に四国に倣って整備された空海ゆかりの88遍路があります。そこでこれを参考に伊豆に以下を提案します。温泉遍路、富士山絶景遍路、歴史史跡遍路、動物園・水族館遍路、文学遍路、金目鯛遍路、ジビエ料理（猪、鹿、キジ、モズクガニ等）遍路、山葵《わさび》・椎茸《しいたけ》遍路、ジオパーク遍路、桜巡り遍路、滝巡り遍路等です。これらの提案を実現するには、行政区画を超えて一体で行います。せっかく「富士箱根伊豆国立公園」となっていますからこれを利用します。例えば曽我兄弟の仇討《あだう》ちは話の発端から墓地までこの3ヶ所全てにゆかりがあります。又豊臣秀吉の小田原攻めも箱根と伊豆2ヶ所にゆかりの史跡があります。

ご検討頂ければ幸いです。

第二章：略歴紹介

新井姓の原点を尋ねて

当家の新井姓の元は、埼玉にあります。早期退職制度に応募して割増退職金を貰って建設会社を退職した時、時間を見つけて何度も埼玉に先祖探しの旅に出ました。

最初は、水の乏しい台地に新しい井戸を掘った農耕民族だったので「新井」なのかと思っていました。しかし越生《おごせ》に今も残る本家や、日高市の高麗《こま》神社等を調べるうちに、朝鮮半島出身の可能性が高くなりました。他にも高麗郷を治めた高麗王若光《じゃっこう》の墓所がある聖天院《しょうでんいん》、渡来人が川の蛇行を利用して造成したと伝えられる巾着田等、首都圏近郊に渡来人の史跡が今も残されています。

朝鮮半島に、高句麗《こうくり》・百済《くだら》・新羅《しらぎ》が出現する頃の話です。ある時新羅村の村長さんが村を散歩していると、井戸の横で馬が尋常でない声で嘶《いなな》いていたそうです。井戸を覗くと、中に卵があったそうです。その卵を取り出して育て、成人したのが初代新羅王となった方だった、という新羅の建国伝説があるそうです。そして新羅王家は初代から3代に亘って朴《パク》王朝だったので、朴という姓の方が日本に帰化すると「新羅の井戸」を略して「新井」という姓にする方が多いと知りました。元々埼玉や群馬には、同様な理由で「新井」姓の方が多いようです。

父に話したところ、「先祖が朝鮮系という話は聞いたことがある」と言っていました。ただ同じ新井でも、それぞれ家紋が異なるので、同じ一族ではない方も多いようです。

ちなみに家の中で祖父母、両親や子供の食器が決まっているのは朝鮮伝来の文化だという説があります。

進学と就職

小学校は、地元の大井第一小学校に入学しました。

小学校3年生の時、家に来て下さっていたお手伝いさんの群馬の実家に招待されたことがあります。

そこで、夜散歩に連れて行って下さったのですが、その時見上げた夜空が、満天の星で感動しました。恥ずかしい話ですが、その夜、感動のあまりオネショをしてしまいました。しかし東京では見られない星空に感動したのが、私の宇宙への思いの原点です。

5年生の時、道を歩いていると、ブレーキの壊れた自転車に衝突されて顔面を強打し、救急車で病院に搬送され手術しました。約1カ月学校を休みました。

回復した私を、親が渋谷のプラネタリウムに連れて行ってくれました。そこで3年生の時に見たのと同じ雄大な星空に感動しました。

中学は私立の進学校に進みました。

その進学校を、学科も体育も高校まで校内最低の成績で、卒業しました。大学進学を目指しましたが、勉強に身が入らず、結局2年浪人して、四谷の大学の法学部に進学しました。2年目の浪人の時、英会話学校に熱心に通ったことがきっかけとなり、英語学習に力が入りました。これが後に英語で仕事をする原点です。

この頃知人から、「とても暗い内容で、読後に自殺した人もいる」と聞き、古書店で購入したのが太宰治の『人間失格』でした。私はこの本で、「自分と同じ悩みで苦しんでいる人がいる」と知り、嬉しくて涙が止まらなくなりました。

「週刊新潮」（２０２２年２月３日号）によると、ドナルド・キーン氏が『人間失格』を「No Longer Human」と訳して１９５８年に出版した図書が、現在全米で広く読まれ、６０００件に及ぶレビューの平均評価点数が5点満点中４・８と高得点だそうです。米国で『人間失格』が読まれているとは驚きです。米国では日本のように彼の艶聞とは切り離して、純粋に文学として読まれているのかもしれません。

大学では知人に誘われ、糸東流《しとうりゅう》空手道の愛好会を設立し、外部から七段の師範を招いて稽古に励みました。当時はブルース・リーの影響もあり、ひ弱だった私は熱心に稽古に励みました。４年生で昇段試験を受け、初段を授かることができました。

又、電力会社に勤務して、本土復帰間もない小笠原諸島の電力整備のため父島に赴任していた伯父の誘いで、父島に船旅をしたこともありました。そこで外国籍の捕鯨船の漂着等で小笠原に住むことになった人達の子孫で、生まれた時から目の色が青い日本人がいることを知りました。又、朽ちた戦車や沖に沈む船が、戦争時のママ放置されていました。

就職はオイルショックの影響と、2浪による年齢制限で、応募できる会社が限定されていました。それでも20社以上応募しましたが、合格する会社はありません。ひ弱な体形だったので絶対入社したくなかった体力勝負のように思えた建設会社を、学校の就職指導課から紹介されました。他に応募先もなく、試験と面接の感触も良かったので、英語力を買われてこの建設会社の海外部門に就職が内定しました。

就職が決まり、米国への卒業旅行を計画しました。

行く先は到着地のニューヨークと、帰国時に出発地となるサンフランシスコの宿以外は、自分で手配して回る1カ月の米国フリーツアーでした。大学の空手愛好会に米国出身者がいたので彼と連絡を取り、ニュージャージーの自宅に宿泊させてもらいました。その後旅行はバスで西海岸を目指し、テキサスのエル・パソでは、徒歩で国境の橋を渡り、アメリカとメキシコの往復をしました。

発音が不正確で言葉が通じなかったり、日系人の方が苦労を重ねて日本人町を形成したロサンゼルスのリトル・トーキョーでの地元の方と会話を交わし、ラスベガスでは大好きなカーペンターズの生演奏を堪能しました。そしてこの旅を一人で達成したので、英語力にも自信がつきました。

就業

建設会社の海外部門に配属になったものの、海外工事の実績はなく、資料の翻訳や海外から現場視察に来た技術者の案内等、無為な日々を過ごしていました。

会社が海外に消極的な理由に、過去の失敗例がありました。私の上司は、戦争で外地に出征した経歴をお持ちでした。そこである商社が受注したペルーのクスコ―サンタ・アナ間の鉄道改修工事の技術指導の責任者として現地に派遣された経験をお持ちでした。

現地では英語は通じずスペイン語、ゲリラが出没するという治安の悪さ等、この工事は大変な赤字となったのでした。これがトラウマとなって、海外工事には慎重になっていたのです。他にアフリカのザイール（現コンゴ民主共和国）の橋梁、ベルギーのアントワープ地下鉄、サウジアラビアのヒジャーズ鉄道、香港地下鉄の案件がありましたが、いずれも成約以前に入札にも参加しませんでした。

所在ない日々の中で、子供の頃よく連れて行ってもらった、当時渋谷にあったプラネタリウムに通うのが楽しみでした。後にお台場や東京スカイツリーのプラネタリウムにも通いました。そして望遠鏡もない古代の人が、星の配列から星座を考え出した不思議に思いを馳せていました。伊豆では函南町《かんなみちょう》の月光天文台のプラネタリウムに行きました。

入社して5年、終業後の社内での飲み会で相変わらず海外に消極的な上司の話にがっかりして、最寄り駅近くの居酒屋で一人盃を重ねていました。

「お客さん、大丈夫ですか？　救急車を呼びましょうか？」

気付くと私は、一人の駅員に抱きかかえられていました。一度降りた最寄駅に戻り、駅のホームから線路に転落していたのです。結局救急車で病院に運ばれて入院し、頭部を4針縫いました。

「何故、一度下車した駅に戻った？」

終電後、駅員が見回りをして私を見つけて下さったのです。そのまま放置されていれば、点検車両と接触していたかもしれません。自分では状況が理解できませんでした。

ただ、このことが起きる前、帰宅時に地下鉄の駅で電車を待っていた時、電車の入線に合わせ、電車に向かって歩き始め、途中で我にかえって「ハッ」として足を止めたことがありました。その時は特に何も考えていませんでした。電車が近づいてくる、それに無意識で向かっていこうとする、そして途中で気付いて慌てて足を止めた……。

そんなことがありました。

結婚

入社して6年目、山梨の方を紹介されました。

実はひ弱で貧弱な自分を思い悩む日々を過ごしていた浪人時代に知人に紹介された太宰治の『人間失格』を読み、「自分と同じ理由で人生に絶望していた人がいる」と知り喜びで涙が止まらなくなり、生きる望みを取り戻した経験がありました。

太宰は山梨の女性と結婚しています。私が紹介された山梨の方は、富士山にも縁のある方でした。太宰も天下茶屋での執筆等、富士山とは縁のある作家です。

彼女は高校で英語科に属し、留学経験があったのも、海外の仕事をしていたので好印象でした。

他にも紹介された方を断る理由が見つからず、お付き合いし結婚しました。

31歳の時のことでした。

海外工事、退職そして別居

入社当時は皆無だった海外工事ですが、丁度所帯を持った頃から徐々に実績が上がってきました。

初の海外工事は、日本の他社とＪＶ（共同企業体）で入札した、シンガポールの道路の立体交差工事です。

資金の借り入れに必要な手続き等、現地事情を調査するため、会社初の事務職としての海外出張を経験しました。電話で本社の経理部長に、現地の銀行や借入について報告していた時です、突然ある考えが浮かびました。それは、

「入社して8年、初めて自分の仕事が会社の役に立っている」でした。

その途端、感情が高ぶり、声が出なくなってしまいました。何とか電話を切ると、トイレに駆け込んで声を出して泣いてしまいました。色々ありましたが、出張は無事目的を果たしました。

その後一番多く出張したのは、インドネシアです。余暇を利用して、リゾートとして有名なプロウスリブに泊まったこともありました。プロウスリブとは「千の島」という意味で、海上に多数の小島があり、遠浅の澄んだ海面でスキューバダイビングをしたり、バンガロー風のコテージの前で、終日読書を楽しんだりしました。夜になると、日本では見ることのできない南十字星を眺めていました。

他にも中国、台湾、タイ、フィリピン、オランダ、ベルギー、ドイツ、フランスに出張しました。

フランスのリヨン地下鉄の工事現場で地下水の溜まる坑内で熱心に掘削土砂等を手に取って見ていた同行の土木の専務が、地上に出ると作業着にチリ一つ汚れがついていないことに驚きました。この方は国内の現場で作業所長を務められていた時、多忙で自宅に戻れずに奥さんが流産して子供を産めなくなってしまわれました。後にこの方の葬儀に参列した私は、式後の奥様の寂寥をお慰めできればと香典袋にこの方との入社の時の出会いから、ドイツでの技術交換契約交渉での火の出るような交渉経験の思い出等をしたためた書簡を同封させて頂きました。

フィリピンでは、独立の英雄の第三夫人が日本人と知り驚きました。そういえばインドネシアでも大統領に嫁いだ日本人がおられます。

タイでは、実務を取り仕切るオーナーの長男が日本人女性と結婚したがっていました。理由を聞くと、華僑の父が、同じく華僑でタイで成功した知人の4人娘と彼を長男とする4人兄弟を結婚させようとしているので、何とかこの親の意向を崩そうと、「日本人との結婚なら許してくれるだろう」と考えていたのです。その思いを知り、少し同情しました。

話を戻します。家族帯同で米国へ海外赴任の話もありましたが、社内である事件が起きました。会社の最大手取引先企業が自社技術を無断で海外に持ち出そうとしているとして、取引停止を通告してきたのです。社内は大混乱に陥りました。その後取引停止は解除されましたが、それが私の海外赴任の事案だったため、赴任の話は立ち消えになりました。

様々な経験をして海外部門の事務課長となっていましたが、何の縁故もない建設会社の事務職では先も知れていると思い、会社が募集した早期退職制度に応募して退職することとしました。

この時、社長にも退任の挨拶に伺いました。海外の仕事では直接社長の署名を求める書類があり、社長室を訪ねていたからです。社長は私が退任の意志を伝えると、

「そのように決断したのであれば、これからも頑張って下さい」

と温かい言葉をかけて下さいました。社長は東大の土木から国鉄に入社し、日本鉄道建設公団（当時）の副総裁から当社に入社され社長になられた方です。一介の事務課長等は普通歯牙にもかけないでしょう。しかしこの方は違いました。実は小学生の時に肋膜《ろくまく》で留年されてしまった経験をお持ちでした。更に市内の中学に進学した同級生の多くを、１９４５年８月６日の広島への原爆投下で失うという体験もされていたのです。ご自身は留年して地元の小学生でしたので、被害を受けなかったのです。そういう経験をお持ちだからこそ、事務の一課長の話にも真摯に耳を傾けて下さる方だったのだと思います。

又、個人的には相性が合わず、別居していた妻とも離婚調停を始めました。一緒になった時は条件と勢いで結婚しましたが、日常生活を条件と勢いで続けることはできませんでした。この結婚で私なりに学んだことがあります。

それは、困っている人から相談を受けたら、

「そうか、僕も子供の頃、背が低くひ弱だったので色々言われて辛かったから分かるよ」

という対応をしてはならない、ということです。悩んでいる人はその苦しい胸の内を聞いてもらいたいのに、自身の体験談を語られても相談した人には何の役にも立た

ない、ということです。「そうか、私には経験がないから分からないけれど辛かったんだろうね」とその人に寄り添うことしかできないのだ、ということです。相談する人はその人の苦しみを理解してくれる人がいることを知ることで苦しみが和らぐものだ、ということを学びました。

私は小学3年生の授業中に、突然声を上げて泣き出して机に顔を伏せてしまったことがあります。その時、私は何かをしていたわけではなく、普通に授業が行われている最中でした。担任の女性の先生は、

「何か辛いことがあるのでしょう。そっとしておいてあげなさい」

と言われました。それは最高の対応だったと思います。もし授業を中断して、

「どうしたの？」

と席に寄って来て尋ねられ、

「生きていることの意義に悩んでいる」

などと応えていたら、皆の嘲笑を買っていたでしょう。

再就職活動

この年、中断していた「太宰治賞」が20年振りに復活すると知り、自伝的私小説で応募しました。結果発表が近づいても何の連絡もありません。

ある日田中さんが中国の諺《ことわざ》を引用して励ましてくれました。それは「草原にいる馬の中に千里を駆ける名馬がいてもそれを名馬と見抜ける伯楽がいなければ、その馬は他の馬と一緒に草原の草を食《は》んで生涯を終えてしまうでしょう」というものです。

更に、

「だから新井さんが賞を取れなくても、私は新井さんに才能が無いとは思わない。新井さんの才能を見抜ける人がいないだけだと思う」

と言うのです。この言葉は中年で会社を退職し、離婚して再就職先を探している私を励ましてくれました。調べて見ると日本では「名馬は常にあれども伯楽は常には在《あ》らず」という言葉として知られていることが分かりました。

そこで気を取り直して転職のため、色々と準備しました。その一つに名刺がありま
す。自宅住所と電話番号を記載しました。そして名刺の裏に自分の言葉、
「人生は木彫りの仏像を彫り起こすが如きもの」
を印刷し、この言葉を語り合える方との出会いを模索しました。この言葉は仏像を
制作する仏師の方が、
「仏像を造るのは、原木にどのように目鼻をつけるかと考えるのではない。原木の中
に隠れている仏様を見つけ出して、それを表現するのだ」
と、言われていたことを参考にしました。意味は、
「人生とは、本来その人が持って生まれたものを探し求め、それを生涯かけて表現し
きること」
ということです。結果としてこの名刺のおかげで、2社の面接に合格しました。自
分でも気に入っていますが、「仏像」という仏教の言葉を使わずに、より普遍的に理
解してもらえる言葉にならないか今も模索しています。今は、
「人生とは、自分が持って生まれたものを生涯かけて表現しきること」と考えていま
す。
さて最初に就職したのは、英国系再就職支援会社でした。しかしこの会社は、試用

期間3カ月で正社員になれず退職しました。そしてこの会社と取引があった建設系人材紹介会社に入社しました。

やがて裁判所の和解勧告に応じて離婚が成立しました。

私はその後、建設系の人材紹介会社や派遣会社の営業職として転職し、最後は自身が派遣社員としてプラント建設会社に期間限定で派遣され、サラリーマン生活を終了しました。その間中国語を勉強していました。飯田橋にある語学学校にも通いました。ある年、学校の創立55周年記念事業の提案募集がありました。私は意外と知られていない、首都圏近郊にある中国と関わりのある史跡等を紹介する本を出版してはどうかと提案しました。本として出版されれば、印税も期待できます。残念ながら出版の企画は採用されませんでしたが、「面白い企画なので毎月発行される学院報に掲載しましょう」

と、話がまとまり、タイトルは学院長が「ほら！　ここにも中国が」と決めて下さいました。一つご紹介します。

学院の近くにある小石川後楽園は、水戸光圀の江戸屋敷ですが、先に紹介した台湾からオランダを一掃した鄭《てい》　成功《せいこう》の命令で、光圀に明国復活の支援を要請した朱《しゅ》　舜《しゅん》水《すい》設計の西湖堤や円月橋が今も園内に残されています。

又、清朝打倒の革命を主導した孫文が横浜に上陸した石碑が、京急富岡駅近くの寺の入口にあります。石碑は岸総理が揮毫しています。

再就職先

英国系再就職支援会社を退職した後、土木建設系人材紹介会社、建築系人材派遣会社、不動産系人材紹介会社、土木・建築系人材紹介・派遣会社等に勤務しました。

ある会社で同僚から、

「新井さんはどうして、そう難しい案件ばかり熱心なの？　もっと簡単に決まる案件に力を入れれば良いのに」

と言われました。人材紹介会社での成約第1号は、50代の土木技術者でした。土木設計ソフト制作会社に紹介し、社長面談となったのですが、社長は海外の現地法人在住のため、Eメールで最終面接となり合格したのです。今ならオンライン面談でしょうが、当時はスカイプもありませんでした。

又、中国人女性技術者を日本の土木設計事務所に紹介したり、同じ土木設計事務所にエジプト人土木技術者を紹介して成約したこともありました。この時、面談が実施

されたのが9・11事件の直後でした。面接官が、

「何故ビルが倒壊したと思いますか?」

と尋ねられ、何か変な返答をしないかと心配しましたが、その心配は無用でした。エジプト人技術者は、

「鉄骨が火災の熱で弱体化し、重量を支えられなくなり倒壊したと考えます」

と、技術者として正当な回答をして無事採用されました。又、ヨルダン人土木技術者をプラント会社に派遣した実績もあります。日本人女性の建築技術者2名を介護施設の設計事務所に紹介したり、ゼネコンの海外事務所に紹介した実績もあります。独身女性に海外勤務を紹介するのは、とても難しいと思います。しかし、この海外の勤務地はご両親が新婚旅行で訪問した所でしたので、ご両親の賛同を得て順調に進みました。又、日本人土木技術者2名を、フランスの設計事務所の日本法人に紹介して成約したこともあります。

中でも大変だったのは、広島の新卒の聴覚障害がある建築技術者を、東京の土木設計ソフトの会社に紹介して成約したことかもしれません。偶然親戚が東京におられたので、そこに宿泊したため宿代はかかりませんでした。会社も事情を斟酌して、他の方と違い、1回で筆記、実技、面談を実施して下さいました。偶然ですが、試験日は

目、耳、口と三重苦にも拘わらず大学を卒業し、社会福祉に貢献した米国のヘレン・ケラーさんと誕生日が同じ、私の誕生日でした。

後日この方からは、「就職等できないと思っていたので、今までの生涯で最良の時です」と連絡がありました。これに対し「簡単な案件」とは、例えば私が20年勤務した建設会社出身の技術者5名を、各社に紹介して成約したような案件のことかもしれません。

伊豆へ転居

妻と離婚してからは、横浜の実家で両親と暮らしていました。プラント建設会社勤務中に、母が他界しました。

私の家系は父方の祖父が朝鮮系、祖母が青森、母方の祖父が茨城、祖母が宮城と北方系が多い家系です。

ある日父が、

「医療、食事等、介護が充実した施設を見つけたので家を売ってそこに入居する」と宣言し、家の売却手続きを始めました。

私は当時の手持ち資金で買える家を探し、ネットで伊豆に温泉がある中古の別荘地の一軒家を見つけて、静岡県の河津町に転居しました。星空を期待していたのですが、街の明かりのせいか東京とあまり変わらず、満天の星を見ることはできませんでした。

しかし家から海を望むことができたので、満月の夜には海から昇る月から家に向かうムーンロードを見ることができました。

日常生活については、ここは山の上で車がないと生活ができない場所です。別荘地なので近所には住宅しかなく、買い物にも不便でした。横浜の家が売れてしまう前に引っ越ししなければならない、というあせりもあったと思います。しかし実際に住んでみると今後の高齢化に不安のある場所でした。家の前の道は狭く、急坂で先は行き止まりです。

ある日驚くべき発見がありました。それは敬愛する太宰治が師匠の井伏鱒二と河津に滞在した時に立ち寄っていた居酒屋（当時は芸者置屋）が、今も場所を変えて営業していたのです。名前も居酒屋ではなく、飲食店になっています。何度か通りましたがいつも営業していません。しかし夜になると、居酒屋として太宰が来訪していた時のお孫さんが営業していることが分かったのです。もしかしたら太宰が私を河津に引き寄せてくれたのかもしれない、と思いました。実は三鷹の彼の墓所で、

「貴方が『人間失格』という作品に、作者としてではなく読者として出会っていれば、貴方の人生は変わっていたかもしれないと考えています。私にその本を書く力を与えて下さい」

とお参りすると、ポッカリと太宰の顔が浮かんできたのです。しかもその時、彼は

微笑んでいました。私は写真でも彼が微笑むものは見たことがありません。彼の墓前には何度もお参りしましたが、笑顔の太宰が浮かんだのはこの時だけです。店の場所は距離的には近いのですが、何せ坂道なので、車でおつまみを買いに行き家で飲んでいました。

つまみができるまでの間、店の方との雑談を楽しみました。

父の他界と再度の転居

そんなある日、父が他界したと連絡がありました。相続手続きで戸籍謄本を取り寄せ、母（私の祖母）が青森県の出身であることが分かりました。意外な所で太宰治との接点を見つけました。又、青森は、建設会社に勤務していた時、青函トンネルを施工していたので、海外からのお客さんに竜飛崎《たっぴざき》の現場を案内したことがあります。

相続の件は兄とも協議し、相続税を払った後も資産が残ったので、今度は平地で車がなくても日常生活ができる家を探して、同じ伊豆の天城山の北の伊豆市に転居しました。ここも住宅地なので、家から星空を望むことはできません。しかし車で30分程の所に、伊豆でも有数の星空スポット達磨山《だるまやま》があります。久しぶりにプラネタリウムではなく、自然の星空を堪能しています。

昼はよいのですが、夜間は道が狭く照明も少ない道を行かねばなりません。ここには矛盾があります。つまり道を広くして照明を増やせば、今度は星空が見えなくなってしまいます。又夜間には、野生動物にも注意が必要です。これも矛盾です。ここは元々は彼らの生息地でした。そこに後から人間が入って木を伐り、道を造り、田畑を造成したのです。そして農作物を食い荒らす害獣として処分しています。

人間も矛盾の中で生きています。我々は、種族の保存と子孫の繁栄のため争いました。しかし争いを止めなければ、種族ではなく、生命そのものの継承が不可能になってしまうと考えています。

今の前の宇宙〈宇宙-1〉で知性を持った存在は、そのことに気付き、今の宇宙〈宇宙0〉に生命が宿る星を誕生させることに成功したのです。我々は既に多くの過ちを犯しています。それらは次の宇宙〈宇宙+1〉で誕生する生命に、災害として襲い掛かるのです。私は星空を眺めながら考えています。

図書館で調べ物をしていたら、芥川龍之介が修善寺を舞台に『温泉だより』を執筆していたことを知りました。私は芥川龍之介、川端康成、太宰治、三島由紀夫のいずれも自死した文豪に共通点を感じていました。芥川が修善寺で執筆していたと知り、この4人が伊豆で繋がりました。

太宰は芥川を敬愛しており、芥川の文学賞が創設されるとその受賞を熱望しました。

その文学賞の太宰の受賞に反対したのが川端です。川端の弟子だった三島は本人に向かって、

「貴方の文学は嫌いです」

と言い放ったと伝えられています。その4人がいずれも伊豆に繋がりがあることが分かったのです。

川端は『伊豆の踊子』、太宰は川端も泊まった宿で『東京八景』を執筆したり、前述の通り井伏と河津に来訪しています。三島は毎年家族で下田に滞在して英気を養いました。何より筆名の由来が「三島から雪を被る富士」ですし、河津の今井浜の事件を元に『真夏の死』を執筆しています。そして芥川が修善寺を舞台に『温泉だより』を執筆していたのです。

私は太宰が我々に謎を残したのではないかと考えています。

それは『桜桃《おうとう》』です。太宰は一方で「選ばれてあることの恍惚と不安」と言い、他方で「生まれてすみません」と言います。「桜桃」は「選ばれてあることの恍惚と不安」そして「桜桃」を平易に表現する「サクランボ」を、アナグラムを使って読み替えると「ボンクラさ」となります。これが「生まれてすみません」という言葉と対になっているとの謎を我々に問いかけているのではないかと思うのです。

僭越ながら家では自分なりの「桜桃」と「ボンクラさ」の鉢植えがあります。「桜桃（暖地桜桃）」は1本だけで受粉して実をつける品種。「ボンクラさ」は他品種と交配して受粉しないと実をつけない品種です。

　私はどの文豪の足元にも及びません。ただ一点、命をかけた作品を世に問いかける、その点だけは彼らと共通しているのではないかと自負しています。

終章

そして今《いま》

「生まれてきたことは間違いだった」

「生きているのが辛い」

「早く死んでしまいたい」

幼少の頃は、毎日布団の中で泣いていました。

そんな私が、自分の宇宙観を問いかける本を出版できるとは夢にも思いませんでした。

そのきっかけは既にご紹介していますが、太宰治の『人間失格』です。この本を手にして、「生まれてきたことは間違いだった」――この一文に激しく共感し、自分と同じ悩みを持つ人がいたことに安堵し、「気を取り直してもう一度頑張ってみよう」と奮起しました。

その結果大学にも合格し、上場会社への入社も果たし、日々の生活に追われ、いつしか「生まれてきたこと」に思い悩む日々は心の中の「思い出箱」にしまわれてしまいました。

更に「新井さんに生まれ変わって欲しい」との言葉をきっかけに思い付いた宇宙観を世に問う本を出版することになりました。たまたま仕事で西伊豆に来た田中さんに会って原稿を読んでもらいました。

その後、西伊豆の岬にやってきました。眼前の駿河湾を見ていると、田中さんが、

「何を考えているの？」

と、尋ねました。そこでかねてから募《つの》らせていた世界平和への思いを伝えました。

ご精読頂き、有り難うございました。

この作品はフィクションであり、実在の人物、団体とは関係ありません

令和5年3月吉日　　新井　俊夫

後書「生きている不思議」

私が日頃口にする食材は、お会いしたこともない農家さんや漁師さんの食材です。それらを食べて体調を崩したことはありません。衣服も面識のない方が作製したものを着用していますが、不具合で怪我をしたりしたことはありません。

世界の各地に出掛け、「あんな所を車ではなくて、徒歩で歩いたのか?」と驚かれる所でも、襲撃されて命の危機を経験したことはありません。それでも一度、入札書類を夜一人、海外の掘立て小屋のような仮設事務所で作成していた時、明け方外からドアをガチャガチャと回して中に侵入しようとする人がいてとても怖かったです。どうしてよいか分からず、咄嗟に中からドアを叩き返して、「中に人がいるぞ」と合図を送り、事なきを得たことがありました。

又欧州のある都市で子供に囲まれ、気付くと財布とカードを抜き取られてしまい、その後の滞在費の支払いに不自由したこともあります。それでも今生きていることは不思議に思います。

「生きている」のではなく「生かされている」――そう感じます。

２０２１年2月、私は河津のある町内会で自治会の会長を務めていました。その理事会でのこと、議事は無事終了し、ある人と雑談していました。

その時不意に、右手が机から落ちました。不思議に思い机に戻しましたが、又落ちました。そして雑談を終えて立ち上がろうとしたら、右足がしびれて立ち上がれません。その様子を見ていた知人が、咄嗟に１１９番に連絡を入れて下さいました。その方は心筋梗塞で緊急手術の経験があり、直ぐに私の症状が一刻を争う事態と理解されたのです。

救急隊はその方との電話連絡だけで私と直接話すことなく、伊豆長岡の病院にドクターヘリの出動を要請しました。救急隊が到着し、河津のヘリポートに到着した時、既にドクターヘリが離陸態勢を整えて待機していました。病院に搬送され、土曜日の午後でしたが、その後主治医となる脳神経外科医の治療を受けることができました。

原因は高血圧による左脳からの脳出血でした。治療が終わって時計を見ると午後4時でした。自治会の理事会が午後1時開催、30分で会議が終わり雑談していたので、発症は午後2時前後だと思います。

長岡の病院からリハビリ専門病院に転院する際は、友人が車で東京から駆けつけて下さいました。

体調が回復し、リハビリ専門病院を退院すると、河津には戻らず、伊豆市の坂のない家での生活を始めました。家は前年の11月に購入し、自治会長の期限となる8月までは河津在住と考えていましたが、急遽会長職を退任し、5月に引っ越しを前倒ししました。

「生きている」のではなく「生かされている」。

それは私だけでなく、全ての生命がそのように認識され、命が尊重されなければならないと考えています。皆様との出会いのおかげで「生まれてきたことは間違いだった」と自問していた私が60歳を過ぎて「生涯かけて実現を探求すべきもの」を見つけることができました。

最後にそれをもう一度ご紹介します。

私の考えが正しいものであれば、人類は自分達の生存圏を拡大させる為の戦争を放棄し、文明の進化によって傷付けた地球環境を保全する。そのことで次の宇宙のビッグバンが発生した時、生命が誕生する星、地球を我々の意志が創造することになる。

以上です。

皆様が人と違うことを恐れずに生きることを願っています。

私が生きている今の時代を形成した全ての人に、感謝の意を捧げ「後書」とさせて頂きます。

略　　歴

氏　　名：新井　俊夫（あらい　としお）

出　　生：1953年6月　東京都品川区大井

学　　歴：1960年4月　品川区立大井第一小学校入学

　　　　　1966年3月　　同校卒業

　　　　　1966年4月　私立駒場東邦中学校入学

　　　　　1972年3月　私立駒場東邦高等学校卒業

　　　　　　　　　　　予備校や英会話学校に通学

　　　　　1974年4月　上智大学法学部法律学科入学

　　　　　1978年3月　　同大学同学部同学科卒業

職　　歴　1978年4月　鉄建建設株式会社入社　海外建設本部配属

　　　　　1998年8月　同社早期退職制度に応募して退職

　　　　　　　　　　　海外統括支店事務課長

　　　　　1998年11月　クーツキャリアコンサルタントジャパン株式会社入社

　　　　　1999年1月　同社試用期間満了にて退職

　　　　　1999年7月　株式会社クリエイト・インターナショナル入社

　　　　　　　　　　　以後複数の会社に営業職として勤務

　　　　　2006年6月　アローメイツ株式会社登録

　　　　　　　　　　　千代田化工建設株式会社派遣

　　　　　　　　　　　サハリン２グループ

　　　　　　　　　　　後に以下に勤務

　　　　　　　　　　　中東2カ国の現地法人支援グループ

　　　　　2015年9月　派遣勤務期間満了

資　　格：糸東流空手道初段、英検2級、TOEIC855点

　　　　　建設業経理事務士2級

家　　族：独身2女あり（いずれも別居）

執　　筆：日中学院の学院報に「ほら！　ここにも中国が」

　　　　　　2006年～2008年、毎月掲載

　　　　　自費出版『いとしのルーリン』㈱文芸社

　　　　　　　　　『遍路で辿るもう一つの伊豆』㈱文芸社

　　　　　一言：純であれ、探究者であれ、

　　　　　　　そして人に誠実であれ！

以上

推薦の言葉

講談師 五代目一龍齋貞花

宇宙から日本の平和という壮大なテーマと、その知識の多才さに、新井さんの話についていけない人もありましょう。しかし、同じ志を持つ人は、きっと共感するはずです。

お仕事で外国各地にも渡航し、その歴史に触れることで、日本のアイデンティティを強く主張する新井さん。「李登輝伝」「台湾に東洋一のダムを造った八田與一」を講談化した私は、そんな新井さんの人間性に魅かれる一人です。

人生を通し、平和への思いを願う。この尊い志を、一人でも多くの人が持って欲しいものです。青年の心を持ったロマンチストの心意気を読み取っていただければ幸いです。

【Information】
本文の部分を録音した付録のＣＤは、著者本人が朗読しています。こちらも合わせてお楽しみ下さい。なお、この朗読は全体をCD１枚に収めるため、内容を約７割程度に編集しています。但し、スタジオ録音ではありませんのでノイズが入っています。ご了承ください。
本書内容について書面と朗読で疑義が生じた場合、書面を優先します。

著者プロフィール
新井 俊夫（あらい としお）
1953年6月、東京都品川区生まれ
1978年3月、上智大学法学部法律学科卒業
静岡県伊豆市在住

伊豆で宇宙の平和を願う

2023年3月15日　初版第1刷発行

著　者　新井 俊夫
発行者　瓜谷 綱延
発行所　株式会社文芸社
〒160-0022　東京都新宿区新宿1－10－1
電話　03-5369-3060（代表）
03-5369-2299（販売）

印刷所　図書印刷株式会社

ISBN978-4-286-25070-0